SILLY 笨笨熊

胡媛媛 编著

责 任

广东旅游出版社
GUANGDONG TRAVEL & TOURISM PRESS
中国·广州

熊爸爸、熊妈妈和熊宝宝快乐地生活在一起。

2

一天，熊爸爸和熊妈妈在门前忙碌。

"你们在做什么？"

"我们在种花。"

"我也要种，我也要种！"熊宝宝兴奋地嚷起来。

熊爸爸将花种分给熊宝宝。

熊宝宝小心翼翼地将花种撒在泥土里，然后浇上水。

过了几天,种子发芽了,长出了很多小苗苗。熊宝宝盯着它们看啊看。

"爸爸,它们什么时候才能开花啊?"

"只要你细心照顾,它们一定会开出花来的。"

又过了几天，苗苗长高了一些，但熊宝宝觉得它们长得可真慢，都有些等不及了。

"妈妈,它们什么时候才能开花啊?"

"只要你细心照顾,它们一定会开出花来的。"

13

可是开花要等好久好久吧?

熊宝宝可不想等,他去找小伙伴们玩耍,把小苗苗们忘在了脑后。

15

傍晚熊宝宝回到家，发现小苗苗们都耷拉着脑袋，无精打采的。

"我的小苗苗们都怎么了？"

"你不浇水，苗苗们渴啦！你不施肥，苗苗们饿啦！"熊妈妈说。

熊爸爸说:"照顾苗苗是你的责任,你可不能忘记哟!"

熊宝宝红着脸点了点头,"我不会再忘记了。"

往后的每一天，熊宝宝都用心地照顾苗苗们。

一天，熊宝宝惊喜地发现苗苗们都已经冒出小花苞来了。

"我的苗苗要开花了！"熊宝宝开心得跳起舞来。

没几天，小花苞引来了许多蜜蜂和蝴蝶。

23

这些花朵真美啊！熊爸爸说："只有扛起自己的责任，才能获得最好的奖赏。熊宝宝，你真棒！"